우리는

예쁨을

낳았다

너는 어떻게 살고 있니

아기 엄마가 되었다면서

밤하늘의 별빛을 닮은 너의 눈빛

수줍던 소녀로 널 기억하는데

여행스케치 <산다는 건 그런 게 아니겠니>

작가의 말

늘 초보인 엄마가 첫 책을 펴냅니다.

기어이 펜을 잡은 건 나에게 위로가 필요해서였어요

처음엔 두 손이 자유로운 것만으로도 기뻤는데,

점차 마음이 용기로 차올랐습니다

이젠, 당신에게 위로와 용기를 전하려 해요

뜨거운 육아의 계절에

한 점 바람 같은 책이 되길, 위로를 전할 수 있길 바라면서요

괜찮아요 당신

너무 잘하고 있어요.

2. 내가 예쁨을 낳았다

3. 너와 함께 자란다

나에겐 느껴지지 않는 그 예쁨이
온통 거기 다 묻었구나

내가 예쁨을 낳았다

1.

엄마가 되다

1)

내 몸아 고마워

구두 위에서

키를 낮춘다

책 열던 손

마음 열고

엄마 된 여인은

욕조에 앉아

아기를 씻기다

다른 팔로

두드린다

내 몸아

힘들었지

엄마 되어

어려웠지

두드린다

자장자장

살아온 여인아

지금의 내 몸아

고맙다,

고마워

2)

육아의 시간

눈을 끔뻑이다 뜨며

지금을 느껴본다

이 찰나의 장면은

딱, 지금 뿐이다

육아의 시간이

너와의 하루가

지나간다

3)

연기처럼

연기처럼 사라지는 상상을 한다

잠자리에 드는 순간,

아이가 깰 때

약속을 깬 아이에게

큰 소리를 내지를 때

깨진 장난감 발에 채어

둔탁한 소리를 낼 때

‘아, 그냥 그만둘까.’

그럴 수도 없으면서

마음의 연기가 새어 나와
조용해진 거실에 자욱하다
깨진 틈 채 메워지지 않았는데

또 그런 순간에
아가는 잠에 들고,
아이는 한 뼘 저만치 간다

장난감은 또 누군가의 손으로
가지런히 놓인다. 사라진다

잡기도 어렵지만, 잡아봐야 허망한 것.
결국 사라질 것은 내 뜨거운 마음이었네
애 보는 일이 뭐 힘들다고?
내 마음도 이런 목소리를 내는데

남과 나의 온도가 극적으로 다른
육아라는 매일의 감정

기쁨과 슬픔의 화학작용이 만들어낸 연기가

순간의 재채기를 내뿜고 있나

연기가 날아간다

순간이 사라진다

4)

자유는 맛있다

모두 잠든 밤

초콜릿을 벗긴다

밤의 고요와

아침의 걱정이

알차게 담긴

달콤 씁쓸한

자유의 맛

5)

이런 날도 오는구나

언제 크나 싶고

동생은 또 언제 생기나 했고,

도대체 언제 자나 싶었는데

이런 날도 오는구나

어느새

아이들은 '언제'라는 말을 듣고

'어느새'로 응답한다

6)

혼자가 아니야

'혼자서도 잘 지낼 것 같아'

일주일 출장을 떠나 남편이 말한다

괘씸하다 생각했는데,

그의 말이 맞았다

혼자 살던 땐

외로움이란 미운 놈이었으면서

지금의 나는 혼자만의 즐거움을 갈구하고 있었다

하나는 흔적을 곳곳에 남기고

유치원으로 떠났고

둘째는 잠들기 전 첫 문장을 말했는데
“아빠 없따.” 라니

일주일의 시간은 잘 지나갔다

있으면 고맙고, 없어도 괜찮은 부부
꽤 괜찮은 건가?
바라는 게 없으니 속상한 일 별로 없는
완벽한 육아파트너?

생각은 짧고, 현실은 너저분하고

나는 빈틈 큰 어설픈 엄마
그래도 의외로 혼자서 잘 지냈다

혼자가 아니라 잘 지냈던 거였지
아무렴

7)

육아의 정글

씻고 닦이고 치우고

만들고 먹이고 치웠더니,

내 배가 고파온다

인간 본성이 난무하는 거실

여기가 육아의 정글

8)

침묵

“애 춥겠다.”

“볼이 빨갛네!”

“발 아프지 않을까?”

“아이고, 애 땀나네.”

…

아, 이건

침묵으로 답해도

괜찮은 거다

9)

엄마의 취향: 답하기 어려운

“엄마는 뭐 좋아해?”

재촉하는 아이의 물음에
답이 잘 떠오르지 않는다

“왜 물어봐?”
이렇게 되묻길 여러 번
아이는 내 표정을 살핀다

나는 내가 뭘 좋아하는지 보다
이걸 묻는 아이의 마음만 궁금하다

왜, 뭘 좋아하는지 묻는 걸까?
표정이 좀 어두웠나?

생각이 길을 잃었다가

나 어릴 적 시간에 잠시 닿는다

"엄마, 뭐 좋아해?"

나 엄마에게,

물어본 적 있었던가

10)

둘째가 둘째에게

남자 같은 이름

‘임현성’

<82 년생 김지영>은

삼 남매, 둘째 딸

내 어린시절 이야기

딸이 딸을 낳아 키웠던 김지영

나는 아이의 성별에

유난히 겁을 냈다

아이가 왔고, ‘또’ 딸이었다

아가를 처음 안아보는 순간

어렴풋이 보였다

여자아이 낳아

시절이 준 서러운 엄마 마음과

또 사랑에 빠져버린 놀라운 마음까지

울 엄마 그랬을까?

서운한 시선 머리로 이해하고

감정은 파고들어 사랑을 시작했을까?

둘째 딸을 사랑하며

그 시절 나를 보았다

11)

육아 열등생

질문이 많으면 우등생이라는데,

내 육아에는 늘 물음표만 있다

수수께끼 같은 육아가

가벼워질 수 있을까?

열등생은 오늘도

수 없는 질문을 쓴다

"당신, 참 괜찮은 사람이야"

남편이 말해주기를 기다리는 걸 멈추자

당신이 얼마나 근사한 어머니인지

아이들이 말해주기를

기다림을 멈추고 나의 내면을 바라보자

사랑은 나와 함께 시작하는 것이다

오프라 윈프리 <내가 확실히 아는 것들>

2.

내가 예쁨을 낳았다

12)

내가 예쁨을 낳았다

내 얼굴 말고

네 얼굴에만 눈길이 간다

웃음이 난다

거울 속 내 얼굴로부터

고개를 돌리고

아기의 얼굴을 바라본다

자꾸 웃음이 난다

나에겐 느껴지지 않는 예쁨이

온통 거기 다 묻었구나

내가 예쁨을 낳았나 보다

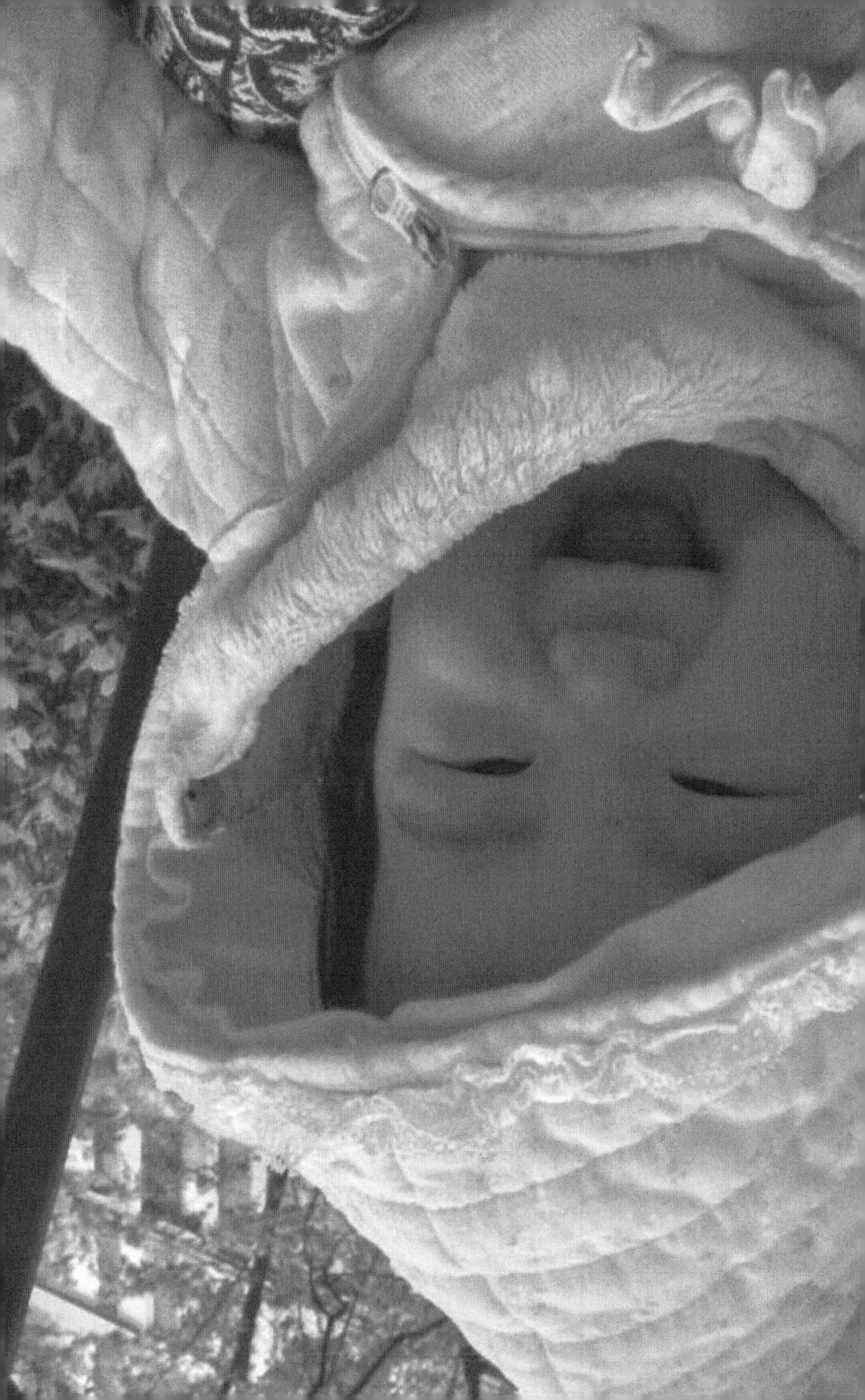

13)

너의 첫 봄

너에게 온 첫 봄을

어떻게 알려줄까?

디딜 신발도 없는

갓난쟁이 널 안고

얼굴 끝엔 바람, 따스한 미소

네 입가에 옹아리 꽃 움튼다

앙증맞게 돋아난 첫 젖니처럼

덕분에 맞는 봄이 반가워

나도 몰래 손을 흔든다

우리 마주 보는 사이

노란빛 새 봄 활짝 피었나 보다

14)

예쁘다

비슷한 듯 다른 구석의 매력이 있는 꼬맹이들

첫째는 제법 손이 두툼해

잡으면 어른 같이 묵직하지만

동생처럼 꼬물거리는 아가 손을

가졌을 때가 있었구나

예쁘다

잠깐 눈앞에 없다고

사진을 꺼내 보면서

부대끼며 느꼈던 지리함을 뒤집는

귀엽다, 그리고 예쁘다는 감정

손끝으로 느낀다

어느 것이 진짜일까?

내 손이 답을 아네

예쁘다

너의 사진을 꺼내어본다

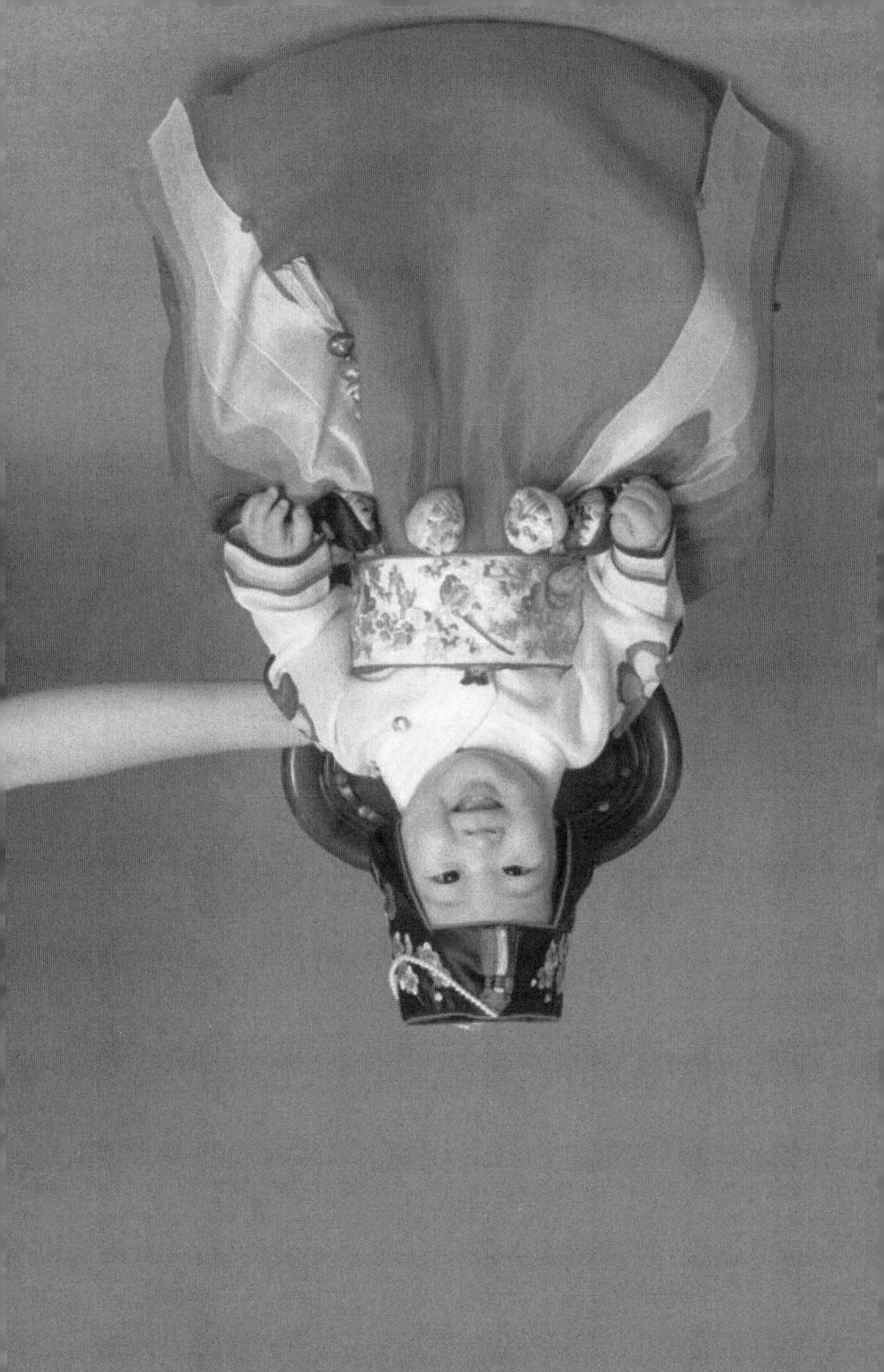

15)

너의 소리, 나의 심장

새벽 3시,

너의 기척을 듣는다

울음소리 집안을 가득 채우다

어서 자 토닥이니 평온해진 심장 소리

떠올랐다.

볼록한 배 위에 손을 대고

작은 소리 얼마나 기다렸던지

떠오른다

너의 기척 들어볼까 오래 기다린

딱딱한 병원 침대에 누워

콩닥콩닥 소리에 한없이 귀를 기대었던지

‘잘 자라 우리 아가’

졸음 별빛 쏟아지는 새벽녘에,

고맙다 다독이며 그날을 깨운다

예쁜 달이 떴구나

그날의 같은 소리 들린다

다시 아침, 해가 떠오르고

너의 소리를 듣는다.

아가도 엄마 많이 기다렸구나

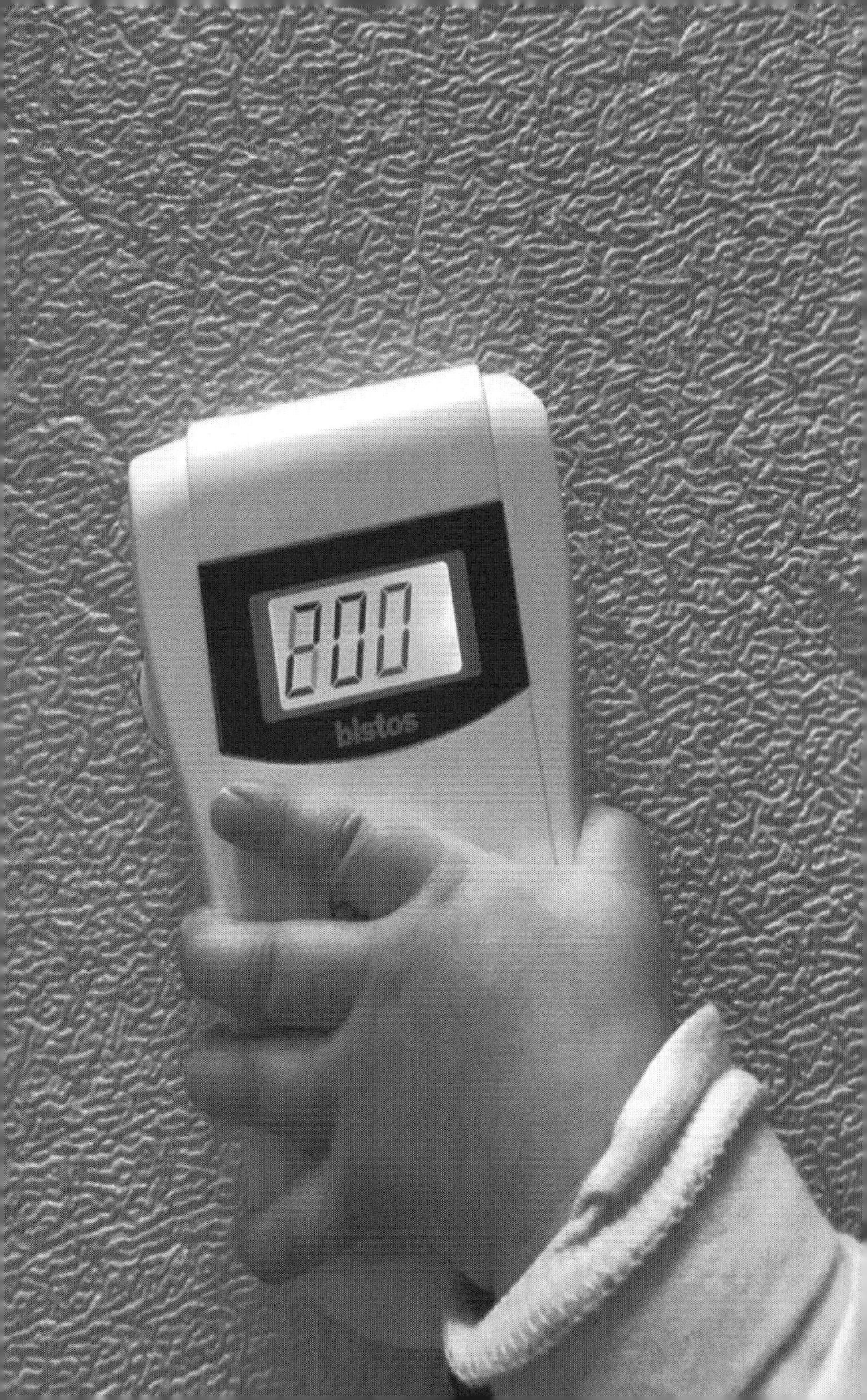
bistos

16)

살아있다는 것

두렵고 막막한 마음이 들었던
초음파 앞 나를 기억한다

그저 숨쉬는 것이 고마웠더라

그 눈으로 아이를 다시 바라본다
바뀐 것은 내 마음

아이들은 눈 앞에 있다

17)

기쁜 우리 젊은 날

나보다 오래된 집에 들어서면

90 년대 어느 즈음
아빠랑 엄마가 나만큼 젊던
그 시절로 들어간다

내 팔은 이만큼이나 길고
이 손 맞잡은 아이가

어느새, 둘

아이들이 나만큼 자라면
또 오늘을 떠올릴까?

나보다 오래된 옛 집에서

떠올리는 그 시절

지금 함께 하는

기쁜 우리의 시절

18)

소풍 전날 밤

소풍 준비물에 '검정' 비닐봉지인 줄 모르고

하얀색 봉지를 챙겼더니

친구가 놀린다며 한참을 걱정하고 있다

그것도, 꼭 자기 전에

아이에게 무안 한 번 주고,

무인 가게에 가서

아이스크림 사고, 검은 비닐봉지 챙겨왔네

학교 준비물 찾으러

몇 시간을 헤매던

나의 열 두 살 어느 밤이 생각나서는

아이 자는 중에

메모하나 남긴다

내일 소풍 잘 다녀와

한 방울 물은 묻히고서

그것도, 꼭 자기 전에

19)

밤엔 반반

열 한시 끔뻑 지난밤

아이들은 잠들고

또 사진첩을 연다

춤추는 아가를 보다

새어 나오는 미소에

무표정하던 큰 아이도

배꼽 잡고 터뜨리는 웃음보

흘러가는 시간이 아쉽다는 말

아이들이 붙잡아주고 있는데

하루가 길어

무표정 해져서 만나는

남편에게도

혼자서 이 밤에

훌쩍

행복 반

미안함 반

20)

꼭 안아주는 것만으로도

첫째가 안기자

둘째가 다가와 함께 안긴다

서로를 밀치지 않고 안기는

귀염둥이 사랑둥이

걸핏하면 몸 마음 스러져버리는

몸부족한 엄마지만,

힘닿는 대로 너희를

안아주며 사랑하며

그렇게 매 순간을 보내리라

이것 만으로도

다 가진 것처럼

행복해하는 너희와 함께

얼마나 행복한지 몰라

꼭 안아주는 것만으로도

오늘도 나는 꽤 괜찮은

존재가 되었으니까

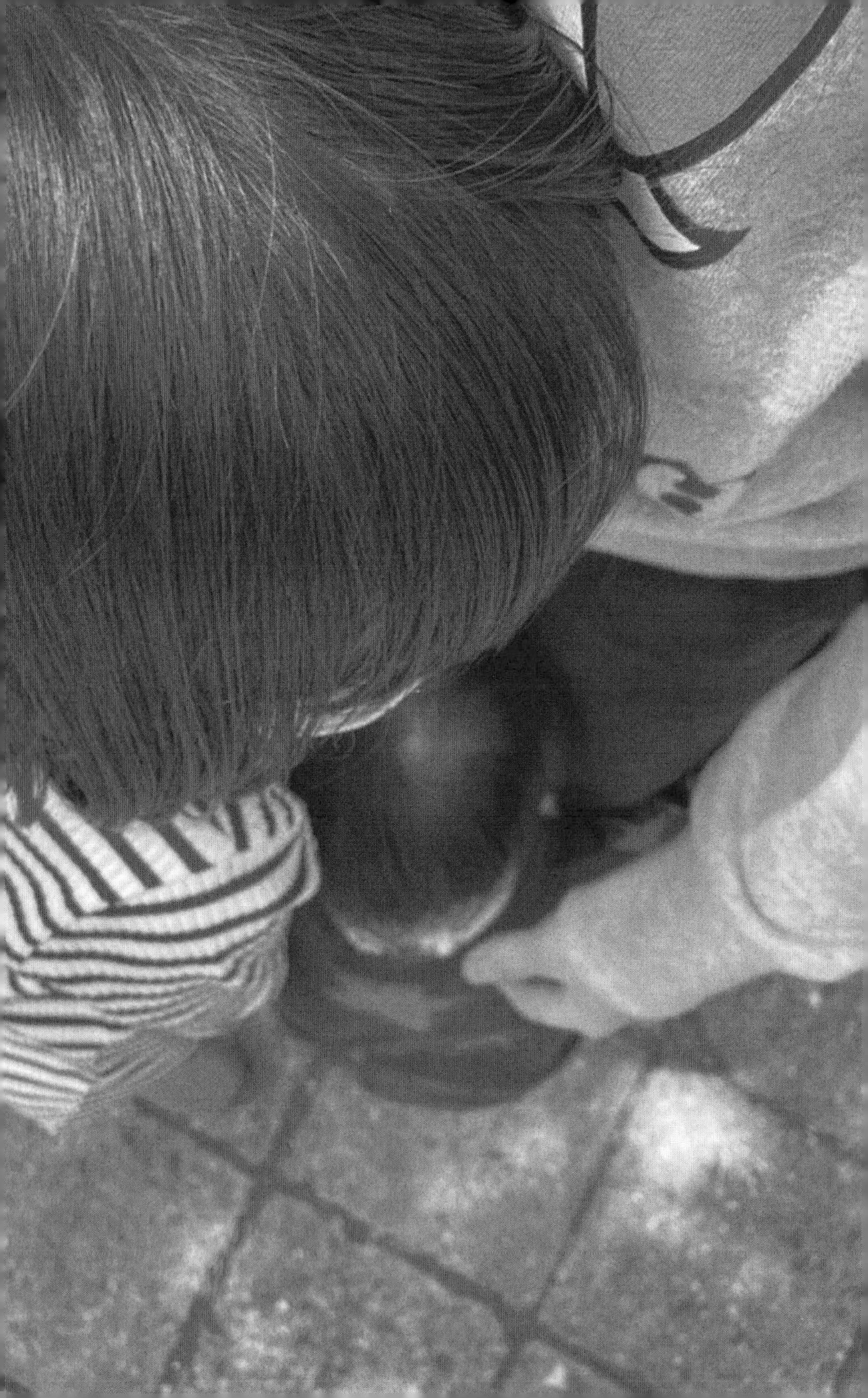

21)

아가야, 너는 좋겠다

학교 가려 일어나는

화창한 햇살 아래

1 학년 언니는 너를 보며 중얼댄다

아가야, 너는 좋겠다

학교 안 가고 맨날 놀기만 하고

참새랑 고양이와 인사하고

민들레며 철쭉꽃

이름 불러주며

모든 세상 배우느라

분주한 하루

아가야, 마냥 좋겠다

민들레 씨 날려보내고

가만히 선 모습만으로도

너는 예쁜 꽃이니까

22)

오늘 아침 메뉴

아침에 입맛이 없는 아이,

메뉴에서 골라보라 했더니

엄마 뽀뽀에 한 표

까끌까끌한 입맛처럼, 조금 어색해진

초등학생 딸과의 스킨십

더 안아주고 뽀뽀하며 아침을 맞이한다면

그 힘으로 아이는 세상을 맞을 텐데

( )

2023년 7월 20일 목요일 날씨

일어난 시간 6:00	잠드는 시간

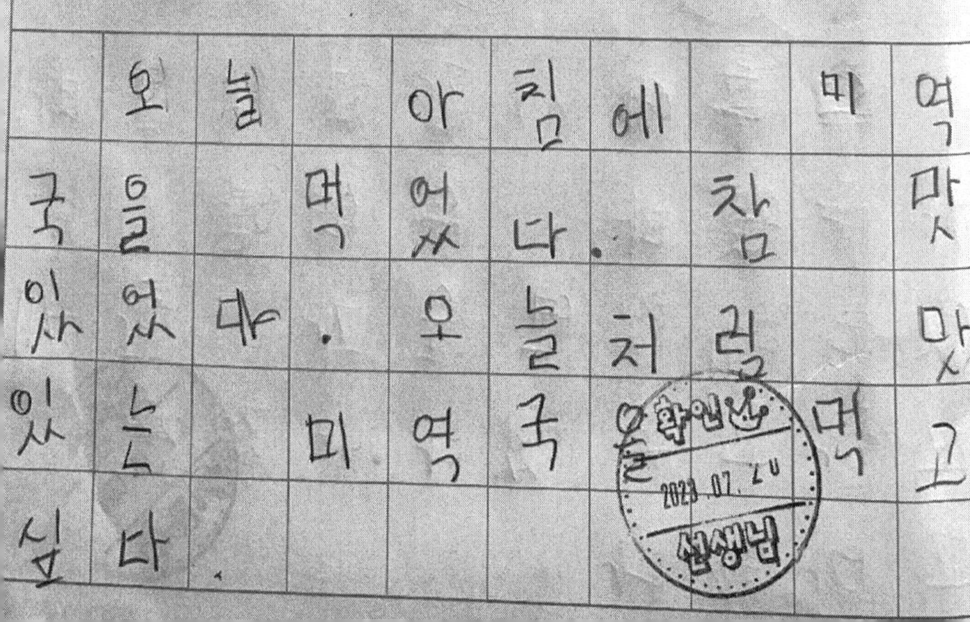

23)

두 번째 봄

두 번째 봄이다

너를 만나고

꽃 본 만큼 우리

갓 피어난 인연이구나

몇 번째 봄이었지

추억 흐릿할 땐 그리워질까?

지금은 필 꽃처럼

참 새롭기만 한데 말이야

24)

언니는 좋겠다

언니는 좋겠다.

멋진 가방 번쩍이며
우르르 학교로 들어가

재미난 놀이 기구, 모래 놀이터
바람 휘날리며 뛰어다니는
키 큰 사람들

연필 끝 또박또박 글이 나오고,
펼쳐진 책에 뭐라고 쓰인 지도 알아
낯선 데 혼자 걸어가 양손 가득
재미난 무언가 잔뜩 담아 오고

나도 언제 저만치 커서

저 넓은 곳 성큼 들어 가나?

언니는

언니야는 참 좋겠다

25)

너를 안으며, 나를 안는다

너를 안으며,

나를 안는다

포동한 너의 품

꼬옥 안으며

아기 내음 머리카락

부비대보면

누가 누구를

품었을 지

네 작은 팔에

나를 껴안는다

그렇게 나는 어른이 되고

날 닮은 예쁜 아기를 낳고

그 녀석이 벌써 학교에 들어갔네

왁스 <황혼의 문턱>

3.

너와 함께 자란다

26)

투명한 유리병

'아이를 돌본다는 건, 지금 할 수 있는 희생'

이 말에 온전히 공감할 수 없는 건, 소중하다는 감정에 희생이란 틈을 내어줄 수 있는가 하는 의문 때문이다.

우리에겐 각각의 유리병이 있다. 나는 절반쯤 채워진 채로 점차 아이의 빈 유리병이 채워지는 걸 본다. 그 안에 크고 작은 보석도, 꽃도 들어가지만 모래도 흙도 마른 풀도 들어간다. 아이가 그 공간을 채워 담는다. 내 것을 꺼내어 너에게 담아주거나, 불순물들을 덜어내 줄 생각은 없다. 나를 다만 돌보아 그 모습을 보여주면 자연스레 우리의 공간이 활짝 채워지겠지.

엄마는 너와 함께, 각각의 유리병을 채우고 있다.

27)

아이에게 햇볕이 필요하다

그늘 아래에만 있다면, 잘 자랄 수 없다

어두운 곳의 나무가 꿈 펼칠 생각조차 할 수 있을까?

뻗어갈 틈과 기다림에 어른의 용기가 필요하다.

순간 아프더라도, 한 뼘 물러 서겠다는 결심과

빛 들어올 공간을 내어주자

움틀 시간을 허락하면 아이는 단단히 뿌리내릴 수 있다

작은 생명에게, 무한한 햇볕의 생명력을 허락하자

뜨겁더라도, 버겁더라도 더 크게 자랄 것이니

아이에게 뜨거운 햇볕을 허락하자

28)

어려울 수록 빛나는 아이

비 오는 날,

엄마와 아이

우산 써라 호통하다가

어른도 흠뻑 장대비 맞으니

아이 웃음이 터진다

키 크고, 경험 많았어도

바람이랑 쏟아지면

피할 길 없어,

쫄딱 비 맞는다

잘 짜인 지붕 아래서는

어른들 말씀 맞겠지만

어머니 자연 품 속에선

모두가 약한 존재

거친 날 성장하는

부드러운 어린잎처럼

어려울수록 빛나는 아이

29)

평범해도 괜찮다는 특별한 생각

특별함을 요구하는 사회에서, 평범해도 괜찮다는
‘특별한’ 엄마의 생각이 필요해

평범해야 한다는 강요가 아니야
평범해도 괜찮다는 용기를 갖는 거야

아이는 엄마가 품어주는 호수의 크기만큼
멀리 헤엄쳐 나갔다가 돌아오는 힘을 가지지

돋보이고 싶다는 마음 잠시 내려두고
큰 품 안에서 마음껏 뻗어 나가길
그리고 돌아오기를 기다려보자

빠르진 않아도 멀리 다녀올 수 있는 내 아이

그 아이가 결국

자신만의 색깔을 세상에

드러내게 될 테니까

30)

외유내강 外柔內剛

아이에게 비춰지는 엄마의 모습도

자라날 아이의 모습도

조금 모자란 듯 보여도

속이 가득 찬 덕에

밖으로 조금씩 새어 나오게 되는

그런 빛을 가진 사람이었으면

안이 허약하면 시류에, 시선에

무너질 수 있기에

더 필요할까, 도와줄까?

고민하는 것은 꾸미려는 것

꽃 잎에만 물 준다고

단단히 커갈 수 있을까?

그저 속 살 단단히 채워볼 수 있기를

우리, 너

결국 곧 떠날 손

하나씩 단단해져야

오래 나란히 걸을 수 있을테야

31)

고마워, 엄마가 고마워

아이의 말에

막막하고 답답해서

외면하고 싶은

마음이 들 때가 있다

아!

막무가내 요구에

짧은 탄식이 입을 통해 나온다

그럴 때 해야 할 말이 뭘까?

엉킨 매듭을 풀어줄 말, 그게 뭘까?

엉뚱하지만

‘고마워’

내가 먼저 고맙다고 해보자

고맙다는 말 다음에

뭐가 이어질지 고민하지 않아도

자연스럽게 이어질 것이다

고마워 크게 다치지 않아서

고마워! 솔직하게 네 마음을 말해줘서

고맙다 늘 열정적으로 하고 싶은 것들이 많아서

고마워 이렇게 엄마 앞에서 있어줘서

그 다음은 다시,

꼬였던 줄이 느슨해지고

비슷한 일이 이어지게 될지 모른다

32)

괜찮아, 엄마

어이쿠,

물 한 가득 바닥에 쏟아버렸다

“괜찮아, 엄마

그냥 실수잖아.”

어느새 네 마음은

훌쩍 자랐네

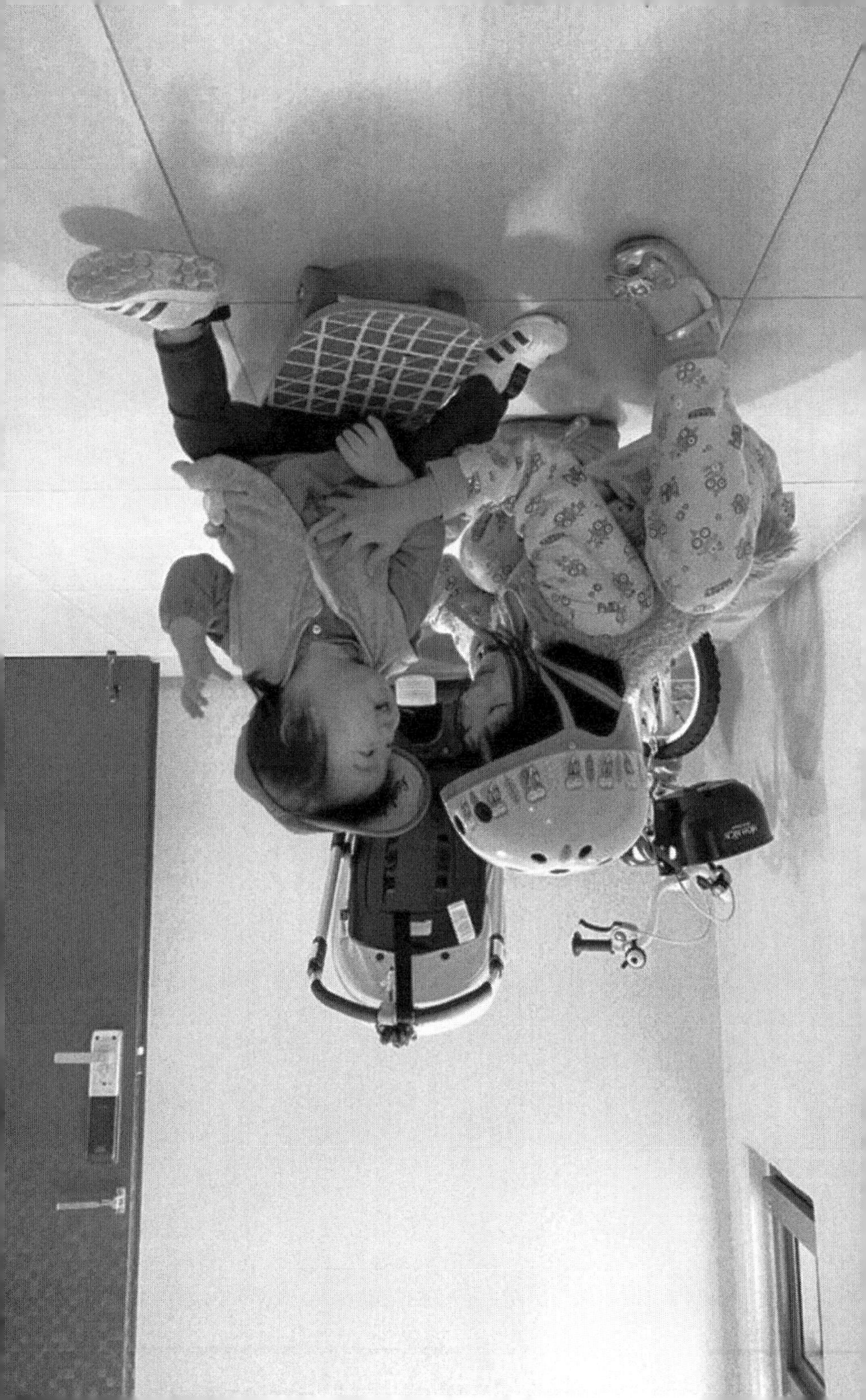

33)

너와 사랑을 피울래

"다시 스무 살이 되고 싶다"

"왜 엄마?"

아이가 알아들을까 싶었지만, 무작정 말이 나온다

"그땐 다른 사람의 시선에 신경을 너무 썼던 것 같아.

그리고…

할아버지 할머니도 젊으셨지.

그때가 그립다."

큰 아이가 대답한다

"그럼 엄마가 날 못 만나잖아?

지안이도 그렇고."

지안이는 뭘 알아듣는 지

눈을 끔뻑

아이는 종종 다른 생각을 한다

그 틈에 사랑이 새어 나온다

너는 자꾸 사랑을 피워낸다

엄마의 어리석음을 뒤로하고

아이와 있다 보면 시간이 줄어든다

언제 삐쳐 나올지 모르는

이파리 보느라 바빠

우리는 지금

사랑이 피어나는

길 위에 있다

34)

힘들고, 또 이쁘고. 그렇다, 그지?

아이를 키운다는 것

어떨 땐 대롱대롱 외줄타기 하듯

아슬아슬한 순간이 찾아오지

힘들고, 또 이쁘고

그렇다 그지?

너무 예쁘다가, 너무 힘들었다가

또 이렇다니까

35)

너의 방학 어느 하루

딸이 내 뒤통수를 보고 이야기하는 날은

유난히 바쁘다

혼자 있고 싶어서 그런 거라고,

호르몬 때문이라 핑계를 대면서

울 엄마 뒷모습이라도

보고 싶은 날

36)

동생이 생긴 너에게

첫째가 동생을 세차게 흔든다

깜짝 놀란 나는 입을 열었다가
환하게 웃는 아이들을 보며

멈췄다가

너에게 동생은 처음이지
당연한 생각이 스쳐

바라본다
삐걱하며 맞춰가는 과정
가까워지는 시간이구나
엄마도 네가 처음이었듯

너도 동생은 처음 인걸

어찌할 바를 모르는 시간
필연적인 갈등, 어쩌면 기다림

아빠 엄마가 처음 그랬고
아가인 네가 왔을 때도
꽤 오래 그랬던 것처럼

가족이 되어가는 시간
너에게는 지금이구나

icecrem
엄마
네가
더
사랑해

37)

다 들어주진 못해도

다 들어주진 못해도

더 들어 줄게

강아지도 키우고 싶고

동생이 아픈 순간에도

자신을 봐주길 바라는

아직 아이인 너

들어줄 순 없는 요구라도

귀 기울여 들어줄 순 있는데

그 여유조차 없어

찡그린 표정만 지어 보인 나

귀 쫑긋하고

너에게 마음 기울일 수 있을까

다 들어주진 못해도

더 들어 줄게

기다려보자
빠르진 않아도 멀리 다녀올 수 있는 내 아이

그 아이가 결국
자신만의 색깔을 세상에 드러내게 될 테니까

평범해도 괜찮다는 특별한 생각

4.

인연을 다시 만나다

38)

응원해, 엄마가

빈틈 있고 부족해도

달팽이처럼 느리더라도

순희님, 경희님

엄마의 박수소리

딸아!

지금이야,

시작해보렴.

39)

놀라운 숫자들

눈이 의심되는

숫자가 있다

훌쩍 큰 아이 키

수줍은 내 몸무게

우리집 대출금리

빨간색 체온계

그리고

우리 아빠 나이

언제 이리 오르던지

떠올리기 먹먹한

숫자들이 있다

40)

엄마의 메모

'전자레인지에 돌려 데워만 먹음 돼'

택배로 온 통통한 생선이 꿀맛이다

한 마리 뼈 바를 시간도 없다는 걸

엄마는 어찌 훤히도 알고 있을까?

씻고 닦이고 치우다

배가 고파온다

빵 한 조각 입에 넣다가

딩동

택배가 도착했다!

보내준 음식들에

'전자레인지' 메모가 많길래,

나는 엄마가 전자레인지를 좋아하나?

생각했지 뭐야

그리하여 내 입에 들어가는

뼈 하나 없는 정갈한 생선

엄마, 이 많은 걸 어떻게 한 거야?

그때도

지금도

41)

이다지도 특별한 인연

교복입은 친구와 우리 사이 특별하다 이야기했었고

연인과 눈 마주하며 인연 참 신기하다 했었지

부모님 얼굴 매일 마주하며

주름 깊이 패이도록 알 길 없었다

가족이란 이름은

마주치기 어려운 별이었단 걸

빛 바랜 사진이 속삭인다

“우리, 또 다시 만날 수 있을까요?”

이다지도 특별한 인연으로요

42)

또 했던 말

‘니가 맛있다고 해서.’

수십 번도 하신 말에 가족들은 불만이다

′그만 좀 하이소′

그런데 요즘

그 말이 또 듣고 싶다

할머니가 해 두셨던 맛난 것

그게 또 먹고 싶다

43)

아빠의 러브레터

코고는 소리로 야박하다고

무른 성격 너무 여유롭다고

서로 노려보다 또 웃음소리

칼로 물베기라, 그사이 녹아버린다

펜 끝에서

떨어지는 간지러움

아빠 엄마 때문에

마음이 몰랑

남경희 氏,

지난 세월이 사십년이 흘러서
우리의 시간이 많이 지나서,
정말 많은 결과를 낳았소.

가족의 소중함이 더욱더 커지고,
당신의 위치가 안정이 되고
우리의 노후가 윤택해지기를 바라며

人生의 후반에서 꽃을 피우기 위해
노력하는 당신이
자랑스럽고 고맙고 사랑하오.

"每事感謝"
(매사감사)

영원히 지금처럼 행복하게 지냅시다.

2022.3.10
注宅(주택)에서 龍淳(용순)

44)

꽃무늬 앞치마

"지우 엄마!"

아이의 이름으로 나를 부르는
할머니 손에 잡채가 묵직하다

화사한 앞치마 홀로 두르고
아이를 가볍게 안아 든다

엷은 미소, 큰 품

그 이름이
엄마였다는 듯이

방은 늘 깨끗하고

밥은 항상 따뜻하고

아이는 알아서 잘 크고

원래

그랬다는 듯이

45)

소망 하나 있다면, 모두 그 자리에

아이들이 태어나 신비를 느끼고 반길 때,

삶의 큰 인연이 빈자리를 남기고 떠난다

눈엔 어여쁜 아이들이 어느새 자리를 잡고

흐느끼던 입가에 웃음을 놓아준다

아이들이 자란 살갗만큼 보낸 세월,

엄마의 주름은 깊어진다

작아진 눈가에 아이들이 달려오니

말린 눈꼬리가 초승달처럼 얼굴을 비춘다

소망 하나 있다면

모두 그 자리에 멈추어

사진 한 장 남겨보자

아이들은 어리고,

아빠 엄마는 젊고 커다랗다

부모님의 그 시절과

내 어린 아이들을

함께 영원히 간직할 수 있다면

소망하는 모습 한 장

눈에 마음에 담는다

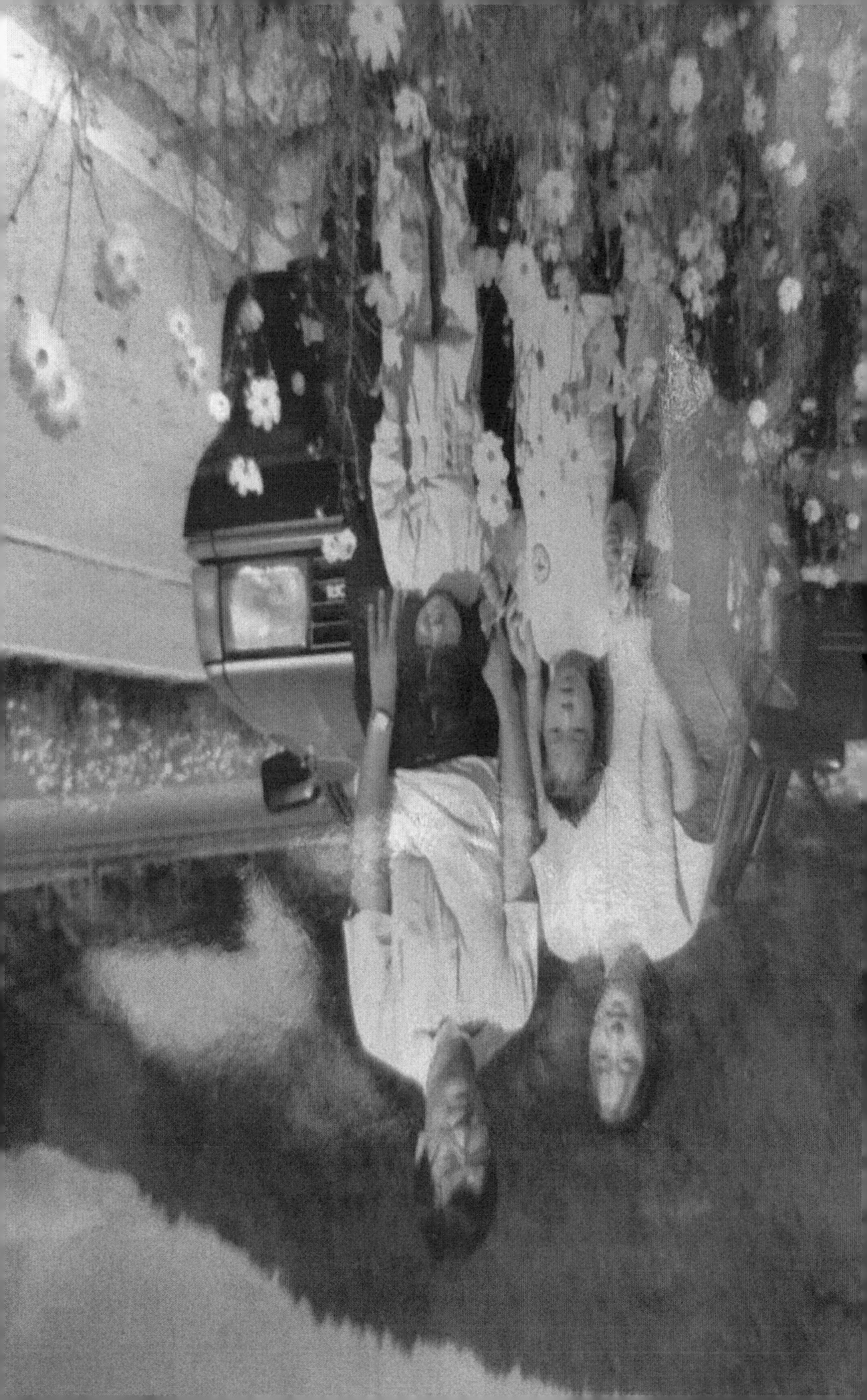

46)

우리라는 페이지

삶은 한 권의 책이라고

화려한 페이지나
찢어낸 부분
텅 빈 자국 있겠지만

한 장 한 줄 알차게
손끝으로 넘기는
야무진 기분

이것이 인생
내 남긴 흔적
우리라는 페이지

47)

태풍이 지나가고

삶의 어려움

몰아쳐 찾아오는 시절 있지

일도 가족도

내 마음과는 유독

반대로 가던 시간

지나보면 듣겠지

태풍이 머물다

지나간 이야기를

48)

아픈 아이 엄마에게

그녀의 아픔이 나에게 닿으니

입이 움찔한다

그저, 괜찮다

괜찮을 거야

지금의 내 모습

엄마 탓 아니듯

아이의 아픔

당신 것 아니라고

그냥, 그렇게

말하고 싶었다

49)

다시 태어난다면 뭐가 될까?

: 엄마 와 딸 의 대화

: 엄마는 뭐가 되고 싶어?

: 나는 개미! 부지런하게 살아보려고

: 그럼 나도 개미

: 엄마, 새 중에선 뭐가 되고 싶어?

: 독수리! 겁 없이 훨훨 멀리 멋지게 날아보려고

: 그럼 나도 독수리

: 엄마 진짜 꼭! 뭐가 되고 싶어?

: 엄마는 … 펭귄! 엄만 더위를 많이 타니까, 시원하게 남극 얼음 위에서 살아 볼래

: 그럼 나도 펭귄!

: 엄마, 마지막이야! 잘 생각해봐요. 다시 태어난다면 뭐가 되고 싶어?

: 엄마는 마지막으로… 다시 태어난다면

지금의 나로 태어나볼까? 실수도, 실패도 많이 해봤으니

다시 살면 더 행복하게 지낼 수 있지 않을까?

: 그럼 이번엔 나도 나로 태어날래

: 왜?

: 그래야 엄마하고 같이 살 수 있으니까.

엄마하고 같은 걸로 태어날 거야.

멋져요, 예뻐요

50) 마치며

: 할 수 있는 게 뭐야?

손에 쥔 것조차 줄줄 새어 나가는
마이너스의 손

이런 내가 뭘 해
풀처럼 주저앉아
입 열기도 어려워

이곳저곳 뒹굴러 다니는
옷 더미 빨래 더미

놀아달라 물 달라
칭얼대는 애 옆에서 넋 놓고 앉아

겨우 한 글자 종이에 올린다

당신에게 닿기 위해
다가가는 일

지금 내가 할 수 있는 일

우리는 예쁨을 낳았다

발 행 | 2024년 03월 21일

저 자 | 임현성

펴낸곳 | 주식회사 부크크

출판사등록 | 2014.07.15.(제2014-16호)

주 소 | 서울특별시 금천구 가산디지털1로 119 SK 트윈타워 A동 305호

전 화 | 1670-8316

블로그 | blog.naver.com/myunsung2

ISBN | 979-11-410-7751-8

www.bookk.co.k